_____ 에게 보내는
바다에서 온 편지

____에게 보내는
바다에서 온 편지

마음 조각들이 수많은 '사랑'들에게 닿기를.

목차

<바다에서 온 편지>

인생은 누군가를 사랑한 생각만으로 살아가는 것.

물결은 애석하게도 내 발을 만지지도
못 하고 사라진다.

너를 동경하는 내 마음같이.

누구나 사라지지 않는 사랑,

나이를 먹지 않는 사랑을 가지고 있어.

사랑만 하길.

무엇보다 사랑만 하기를.

어깨를 스치는 영원도

꿈결같이 머무는 순간도

사라지기엔 아쉬웠던 모습들도

그들을 선사했던 짧디 짧은 인생이 끝나면

참 많이 사랑했노라 미련 없기만을 바라.

참 아름답다.

웃는 얼굴도,

나를 생각해주던 마음도,

희고 예쁜 말투도,

너가 정성들여 불러주던

나의 이름들도.

괜찮아. 괜찮아.
지금 사랑할수 없어도 괜찮아.

아무데도 안 가고 기다릴게.

아름다워서 깨기 싫은 꿈.
눈을 뜨면 너가 날 기다리고 있지.

사람의 눈은 속일 수 있대.

사랑은 속일 수 없대.

너가 살아가고 있을 그 곳은
더이상 외롭지 않기를.

고마워 = 사랑해

보고싶어 = 사랑해

미안해 = 더 사랑해줄게

미워 = 얄미운만큼 사랑해

사랑이 뭘까.

별 그리며
달 그리며
꿈 꾸며

그러면서도 생각나는 거.

너는 어디서 그런 사랑을 배웠을까.

완벽한 것을 보아하니,

참 비싸게 주고 배웠나보다.

바람 처럼 짧게 부는 삶이라도

너를 만나 사랑한 순간,

그때 나는 영원이 되었어.

나는 나를 힘껏 사랑했다.
너를 보는 것이 두렵지 않을 만큼.

사람은 사랑을 가르쳐 준 사람은 잊지 못한대.

사랑을 가르쳐줘서 고마워.

아무도 나를 사랑하지 않는다고 생각하면

슬퍼지다가도

나를 생각할 너의 시간에 위로받는 날들.

길을 걸으며 너 생각.

꿈을 꾸면 너의 꿈.

글을 쓰면 너가 주인공.

노래를 부르면 너를 향한 연가.

어쩌면 내 인생의 주인공은 너일지도.

깜빡 깜빡.

자꾸 너생각.

(난 서쪽이 좋은데)
넌 동쪽이 좋대

나도 동쪽이 좋아.

(난 매운 게 좋은데)
넌 싱거운 게 좋대.

나도 싱거운 게 좋아.

(난 너가 좋은데)
너도 내가 좋을까?

밤새 그리워 아파하던 밤들.
그것까지 사랑이었구나.

마음은 투명해서
누구나 진심만 있다면
이역만리에 떨어진 사람도
간직할 수 있어.

그건 바로

가장 빠른 길로

가장 소중한 너를 만나는 법.

사랑해. 사랑해. 사랑해.
말 할 수록 깊어지네.

세상에는 도저히 이길 수 없는 사랑이 있어.

사랑은 등대.

모든 것을 밝히는 유일한 구원.

사랑하는 사람한테는

바보처럼 손해보고
푼수처럼 깔깔대고
호구처럼 나눠주고

널 사랑하기 위한 합리화.

너는 사랑받는 사람.
너는 사랑하는 사람.

호칭은 의무를 만들어.
계속 말해주면,
정말 그런 사람이 되어버려.

천사가 말 했다.

사랑하시겠어요?

악마가 말 했다.

사랑하시겠어요?

두 쪽 다

네. 하고 대답할 준비.

사랑하는 존재가 생기면
안고 싶어져.
힘껏, 으스러질때까지.

우리집 고양이도
우리집 멍멍이도

너도.

< ___에게 쓰는 편지 >

DEAR

FROM

<마무리 짓는 말>

참 길고도 짧았던 3년이었습니다.
그동안 나의 인생도 파도처럼 천변만화했습니다.

처음엔 바다가 좋아서, 다음은 사진이 좋아서,
마지막으로는 나누고 싶어서
전국 방방곡곡의 바다를 담아 왔습니다.
이 책이 마음을 전하는 요긴한 어떤 것이 되었다면 그걸로
만족합니다.

그리고 짧은 28년 인생 속 기념비적인
10인에게 보내는 책이기도 합니다.
광활한 모래사장 같은 삶에 파도처럼 끊이지 않고 찾아주고
위로해 준 사람들.

그분들이 아니었다면 해안가에 떠내려온
죽은 고래처럼 살았을 것입니다.
그들에게 영감을 받아, 그 드넓은 마음을 닮은
바다와 저의 사모하는 마음만 담았습니다.
날 버텨준 이들에게 찬사를 보냅니다.

고맙습니다.
사랑합니다.

아름다운 지현
내 동생 나은
죽마고우 시내
어여쁜 연선
사랑 많은 서연
닮고 싶은 혜원
울랄라 YJ
추억 덩어리 온유
하나뿐인 혜나
나의 제자 운찬

그리고 출판 동지.

온유 작가님
은진 님
선정 님

_에게 보내는, 바다에서 온 편지

발 행 | 2024년 02월 19일
저 자 | 김선율
펴낸이 | 한건희
펴낸곳 | 주식회사 부크크
출판사등록 | 2014.07.15.(제2014-16호)
주 소 | 서울 금천구 가산디지털1로 119, SK트윈타워 A동 305호
전 화 | 1670 - 8316
이메일 | info@bookk.co.kr

ISBN | 979-11-410-7244-5